毛笔入门教程

颜真卿《多宝塔》

楷书入门教程

张克江　编写

长江出版传媒
Changjiang Publishing & Media

湖北美术出版社
Hubei Fine Arts Publishing House

图书在版编目（CIP）数据

颜真卿楷书入门教程/张克江编写.—武汉：湖北
美术出版社，2012.9（2019.3重印）
（毛笔入门教程）
ISBN 978-7-5394-5377-4

Ⅰ.①颜… Ⅱ.①张… Ⅲ.①楷书-书法-教材
Ⅳ.①J292.113.3

中国版本图书馆CIP数据核字（2012）第157391号

毛笔入门教程

颜真卿楷书入门教程
　　　　　　　　　　　　　　　　　　张克江　编写

出版发行：长江出版传媒　湖北美术出版社
地　　址：武汉市洪山区雄楚大道268号B座
邮　　编：430070
电　　话：（027）87391503　87679529
网　　址：http://www.hbapress.com.cn
E－mail:hbapress@vip.sina.com
印　　刷：崇阳文昌印务股份有限公司
开　　本：880mm×1230mm　　　　1/16
印　　张：5
版　　次：2012年9月第1版　　2019年3月第14次印刷
定　　价：18.00元

序　言

一、 什么是中国书法

　　中国书法是关于汉字书写的艺术。汉字以象形为基本的成字方式，主要有六种，即所谓的"六书"：象形、指事、会意、形声、假借和转注。虽然现在的汉字已经由于书写的演变而离开了象形，但其原形还是以象形为基础，是从画变更为字的。因此，汉字和关于汉字的书写方法，本身就是一种艺术。例如，汉字笔画的多少、疏密和形态，汉字结构的千姿百态，婀娜多姿，加之书写者的性情特征等，都构成了汉字书法艺术的内涵和要求。

　　中国书法的起源是从汉文字的形成开始的。从现有的文字资料来看，最早的汉字是"甲骨文字"，它是在殷商时代，人们将文字契刻在龟甲兽骨上，故而得名，也称"契文"。"甲骨文字"体现的"六书"的成字方式比较清楚，已经是一种较成熟的文字。

　　周朝晚期至秦统一之前，出现了"金文"、"石鼓文"，我们将这些文字统称为"大篆"，它是一种比"甲骨文字"更加抽象，更加趋于工整的文字。

　　秦始皇统一"六国"之后，大力推行"书同文"，在全国规范文字，出现了"小篆"，小篆也称"秦篆"，它是在"大篆"的基础上，按照易辨、易写、易推广的原则制定的一种规范篆书。

　　隶书始于秦，兴盛于汉代，相传是由秦吏程邈在狱中创造的。它比正规的篆书书写更加方便，是汉代公文、立碑的正式文字。此外，汉代还出现了在竹简木牍上书写形成的"简书"，为书写方便，而形成的"章草"，"今草"就是从"章草"发展演变而来的。

　　魏晋时代的书法艺术达到了空前的高度。钟繇等人使楷书初步定型，王羲之父子使行书、草书达到了成熟的高峰。他们的贡献，对后来的书法艺术产生了十分重要的影响。

　　唐朝是楷书发展的鼎盛时期，初唐的几位书法大家，如虞世南、欧阳询、褚遂良等,将隋以来的楷书更进一步法度化,建立了尚法的唐楷典型;颜真卿、柳公权等也为唐楷法度的建立作出了重要贡献。唐代在书法史上,是继魏晋之后又一个辉煌的时期。

在上述基础上,中国书法又经过了宋、元时代、明、清时代的不断发展,至今已经成为了世界艺术宝库中的一颗璀璨的明珠。

纵览中国书法历史,我们无不感到祖先的勤劳和智慧,无不感到我们祖国的伟大。作为炎黄子孙,我们要继承祖先留传给我们的这一优秀文化,积极努力地承担起历史的责任,使我们的书法艺术更进一步发扬光大,流芳千古,永世辉煌。

二、笔、墨、纸、砚

笔、墨、纸、砚是书法的基本工具,自古以来,就有"文房四宝"之称。

毛笔当称为文房四宝之首。毛笔从笔锋原料来看,可分为三类:一是用兔毫、狼毫、鼠须、鹿毫、豹毫为原料制作的毛笔称为硬毫笔。二是用羊毫、鸡毫、胎毫为原料制作的毛笔称为软毫笔。三是软硬毫兼用的毛笔,如"七紫三羊"、"五紫五羊"、"三紫七羊"及各号称之为"白云"的毛笔即是。

墨从品种来看,可分为油烟和松烟两种。油烟墨是用油烧烟再加入胶料、麝香、冰片等制成。松烟墨则是用松树枝烧烟,再配以胶料、香料而成。油烟墨质地优良、坚实细腻,乌黑发光;松烟墨色黑但缺少光泽,胶质较轻。

造纸是我国古代四大发明之一。中国的古老造纸术对世界文明作出了巨大的贡献。

在造纸术被发明之前,汉字被契刻在甲骨上,铭铸于青铜器上,书写于竹简、木牍、帛书上。我国古代造纸大抵从东汉蔡伦造纸开始,后经不断发展进步,到了隋唐五代,我国的造纸术已传播到国外,宣纸的大量出现在唐代就已经开始,一直沿用至今。今天的书法爱好者除选用宣纸和皮纸外,练习时常用竹纤维纸和用稻草纤维制作的元书纸,既经济又实用。

砚是古人用来研磨墨和盛墨所用,有端砚和歙砚两大名贵种类。古人用的砚除具有实用价值外,还兼有象征身份、地位和工艺品的价值。

三、写字姿势和执笔方法

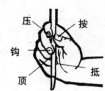

1、正确的写字姿势。双足分开,其距离与上部双肩相等;双足必须很自然地踏稳地面;腰、背都应很自然地伸直,切忌僵硬用力;两肩应齐平,不得左高右低或右高左低,前胸正向桌边,与桌边至少要相隔一拳头以上距离。

2、执笔的方法。执笔的基本原则主要有三条,一是使笔管垂直,二是指实掌虚,三是切忌握笔过紧。手指捉笔的姿势大致有三指执笔和五指执笔两大类。正确理解执笔原则和方法是每位初学书法的人必须掌握的基本功。

四、关于笔法

1、起笔。古人对书法的用笔作了精准的论述:"用笔须沉着,虽一点一画之间,皆须三过其笔"。也就是说,我们在写一笔一画的过程中,都要关注三个组成部分,即起笔、行笔和收笔,简称为"三折法"。

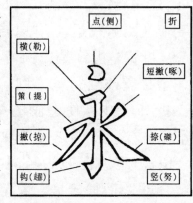

起笔是一画的开始,也称之为"落笔"或"发笔"。起笔可分为平起、侧起、逆起三种,其笔锋有藏有露,形态有方有圆。

所谓平起,也就是笔锋和笔画方向一致,从左至右,由轻而重行笔,笔锋不上翘,多呈细尖状。侧起是指下笔稍顿,然后调整笔锋,再向右行笔。起笔处呈一斜面,如刀削。逆起即笔锋逆向落笔,然后折回向右行笔。逆起可分为藏锋逆起和露锋逆起两种。

2、行笔。行笔在书法上又叫"走笔"。行笔时要求中锋走笔,注意力量、速度的把握,即轻重、徐疾、提按等。

3、收笔。收笔是一个笔画的结束,凡事有始有终,有往有收,这是自然的法则。收笔有露锋收和藏锋收两种,但都必须力至笔端,不可虚晃而过。

4、中锋。中锋是指书者的笔心要在所书写的笔画痕迹的中间走,而不是上侧或下侧。中锋行笔有利于笔画的厚实和光泽,有利于笔画的丰满和骨力的形成。

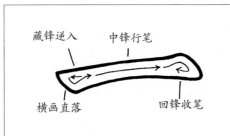

5、侧锋。侧锋是指笔锋在笔画痕迹中的一侧运行,一般规律是笔偃则侧。侧锋能使笔画神采飞扬,清秀劲朗。但不能久侧,久侧由呈虚弱的病态。

6、藏锋。藏锋是指笔锋的锋芒内敛在笔画中间而不外露,藏锋巧妙,可以使笔画呈现出含蓄之美。

7、露锋。露锋是笔锋的笔芒外露,其用笔直截了当,痛快淋漓,给人的感觉是精神外露,神情毕现,俊秀可人。

8、转锋。在笔画运行过程中,有时有转折的部位,为了美观地实现转折,遂用转锋。所谓转锋,即指笔毫触纸后稍提起,然后转换笔锋,作曲度较大的弧线运动,"以转成圆"。

9、折锋。折锋是先顿笔,然后稍提锋,紧接着改变行笔方向,作折线运行。折锋巧妙,使笔画的棱角清晰,"折以成方",险峻之神毕现。

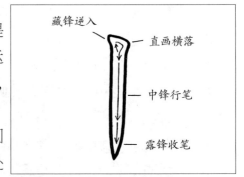

10、方笔。在书法名词中,对方圆的解释即为笔画起笔、收笔和行笔处的形状和笔画的运行方式。方笔是指笔画的起笔、收笔处为方形,折笔处有棱角。方笔是从隶书中继承的笔法,方笔的使用,使笔画深沉而厚重,险峻而富有骨力。

11、圆笔。圆笔是指笔画的起笔、收笔和转折处圆润无棱角,起笔用裹锋(笔锋保持圆锥状),收笔用转锋,是从篆书中继承和发扬的一种运笔方法。圆笔使笔画呈现内敛沉静、筋血丰满之态。

12、提笔和按笔。书法的运笔实际上有两种力量和运行方向,一是向前后、上下运动的平面运动,这种运动一般呈"S"形;另一种运动为纵向运动,是由执笔者相对纸平面,从纸"外"向纸"内"不断加力和减力的运动,这种运动以力量的大小为主要特征,用力向下按为按笔,将笔上提为提笔。提笔和按笔是运笔的重要手段,是使笔画形成粗细对比,产生节奏和韵味的关键。因此,在学习书法过程中,要不断反复练习,认真体会。

书法运笔的提按极为多见,变化也很多,一般有如下运笔动作:

(1)抢笔:指行笔至笔画尽处,提笔离纸时的"回力"动作;

(2)顿笔:指在垂直纸的方向作向下重按的用力动作;

(3)蹲笔:指按笔动作力量小于顿笔的动作;

(4)驻笔:指按笔动作小于"顿"和"蹲"的动作,驻笔用于蓄势,而不作用于形;

(5)挫笔:指运笔时突然停止,提笔变向再按的动作;

(6)衄笔:笔锋既下行又逆返,与回锋不同,回锋用转,衄锋用逆;

(7)翻笔:指运笔过程中翻转笔势急速而行,后一笔的开始和前一笔的结束处重叠,其状多呈方形;

(8)绞笔:指运笔过程中环转笔势缓慢而行,前后两笔一般不重叠,其状多为圆形;

(9)放笔:由提笔圆转而出,动作跨度大。

笔画的书写是一个非常复杂的过程,形态的千变万化,力量的变化多端,方向和角度的千差万别,是学书者需要长久,乃至一生都应该勤学苦练的过程。所谓书法以用笔为上,正是说明了笔法在书法中的作用和地位极其重要。重结构轻笔画,或重章法轻笔画都是很多人学书难成的重要原因之一,希望以此共勉。

五、颜真卿及其书法艺术

颜真卿（708-784），字清臣，琅琊临沂（今山东临沂县）人，唐代中晚期杰出的书法家，曾出任平原(今山东德州) 太守和太子太师，俗称为"颜平原"和"颜太师"，官至监察御史、刑部尚书、户部侍郎加银青光禄大夫等高职，被封为鲁郡开国公，故又称"颜鲁公"，他为人舍身取义、大义凛然，为官刚正忠良；在书法上他的楷书被称为"颜体"，行书《祭侄文稿》被称为"天下第二行书"，对后世影响极大，千百年来盛行不衰。自颜以后的历代著名书法家的作品大都取法于颜体。

颜真卿的代表作，碑刻有《多宝塔碑》、《李元靖碑》、《东方朔画赞》、《鲜地氏离堆记》、《颜勤礼碑》、《颜家庙碑》、及《麻姑仙坛记》等；墨迹有《自书告身》、《祭侄文稿》；大字石刻有《大唐中兴颂》等。

本帖字例选自颜真卿《多宝塔碑》，该帖是颜真卿44岁时所书，书风已初具其风格，不但结体严谨，端庄自然，而且在点画上初步形成其"颜体"的独特风格，本碑气势雄浑，雍容大方，笔力充沛，笔法精熟，是他的代表作之一。

右点

1. 自左上方向右下方顺锋起笔；2. 顺势边转笔边按笔；3. 向左下方边转笔边按笔；4. 转笔或折笔后回锋收笔。

左点

1. 自上方向下顺锋起笔；2. 向左下方边转笔边按笔；3. 向右下方折笔按笔；4. 折笔后向上回锋收笔。

下

心

求

德

侧点

1. 自上方顺锋起笔；2. 向左下方边转边按笔；3. 向右下方边转边按笔；4. 折笔向上回锋收笔。

竖点

1. 自左上方逆锋起笔；2. 折笔向右偏下顿笔；3. 向下方折笔后蓄势向下行笔；4. 转笔后向上方回锋收笔。

京

安

源

变

撇 点

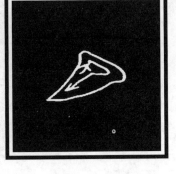

1.自下而上逆锋起笔；2.折笔向右下方顿笔；3.转笔蓄势后向左下方写小撇，力至笔端。

反捺点

1.自左上方向右下方顺锋起笔；2.顺势向右下方边行边按笔，力量逐步增大；3.转笔后回锋收笔。

烟

不

塔

求

相向点

1.先写左点，后写右点；2.左点既可藏锋起笔又可露锋起笔；3.右撇点与左点相互取势，相互呼应。

长　横

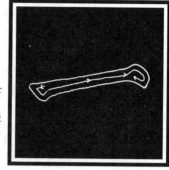

1.逆锋向左上角起笔；2.折锋向右下方顿笔；3.提笔转锋蓄势向右铺毫力行；4.提笔转锋向右下顿笔作围；5.提笔回锋收笔。

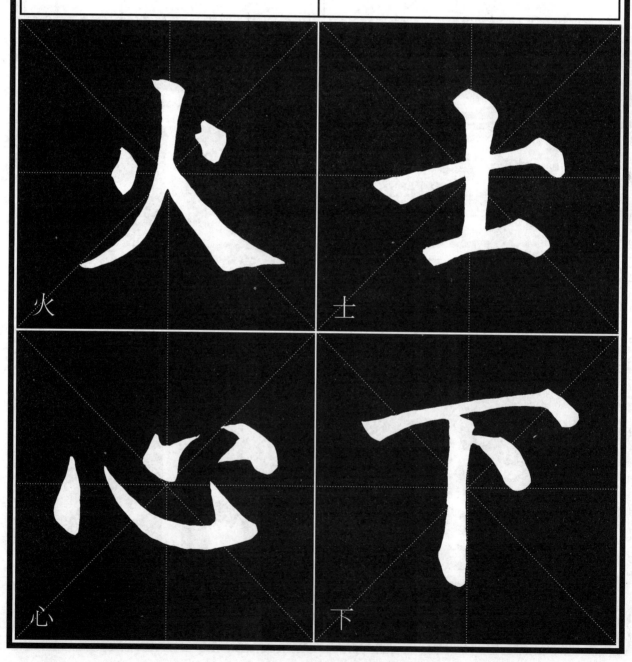

火

土

心

下

短　横

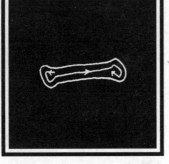

1.逆锋向左上角起笔；2.折锋向右下方顿笔；3.提笔转锋蓄势向右铺毫力行；4.提笔转锋向右下顿笔作围；5.提笔回锋收笔。

长弓横

1.逆锋向左上角起笔；2.折锋向右下方顿笔；3.提笔转锋蓄势向右行笔，中间部分稍轻，稍呈弓形；4.提笔转锋向右下顿笔作围；5.提笔回锋收笔。

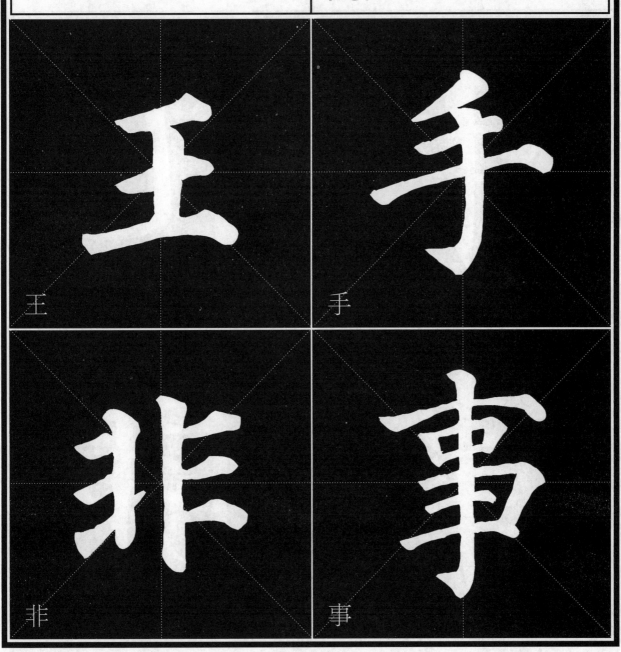

王

手

非

事

悬针竖

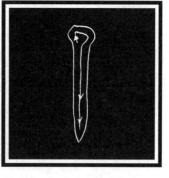

1.逆锋向左上角起笔；2.折锋向右下方顿笔；3.提笔转锋蓄势向下铺毫力行；4.行笔至三分之二处力量逐渐减小，末端处呈针尖状，力至笔端。

左垂露竖

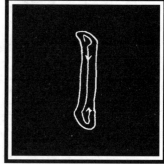

1.逆锋向左上角起笔；2.折锋向右下方顿笔；3.提笔转锋蓄势向下铺毫力行，中部略呈弧形；4.至末端处提笔向右下顿笔；5.提笔回锋收笔。

中

化

聿

佛

中垂露竖

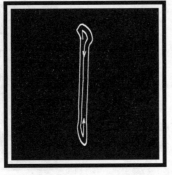

1.逆锋向左上角起笔；2.折锋向右下方顿笔；3.提笔转锋蓄势向下铺毫力行；4.至末端处提笔向右下顿笔；5.提笔回锋收笔。

斜　撇

1.逆锋向左上角起笔；2.折锋向右下方顿笔；3.提笔转锋蓄势向左下方撇去；4.力量逐渐减小，力至笔端，注意中锋行笔。

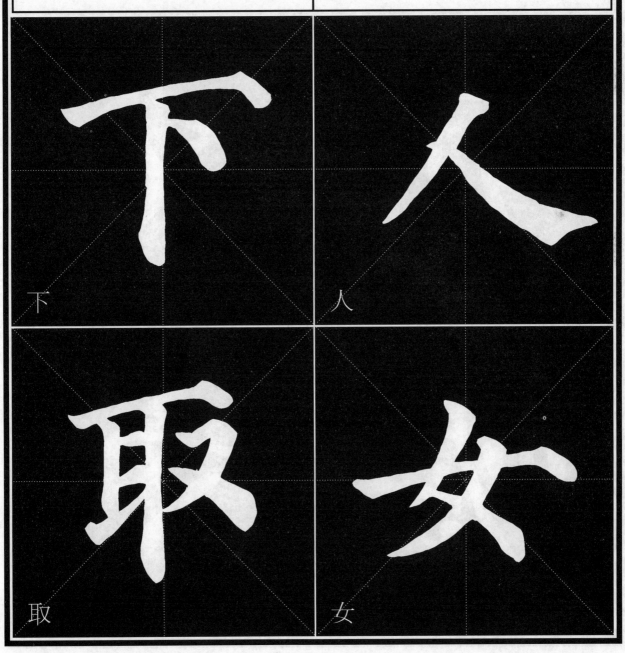

下

人

取

女

长斜撇

1.逆锋向左上角起笔；2.折锋向右下方顿笔；3.提笔转锋蓄势向左下方撇去；4.力量逐渐减小，力至笔端，注意中锋行笔。

新月撇

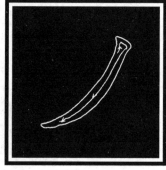

1.逆锋向左上角起笔；2.折锋向右下方顿笔；3.提笔转锋蓄势向左下作弧；4.力量逐渐减小，力至笔端，注意中锋行笔。

列

父

崛

文

柳叶撇

1. 自上方顺锋起笔；2.顺势向左下方写撇，中间部分力量逐渐增大；3. 稍稍驻笔后提笔向左下方写撇，力量逐渐减小，力至笔端；4.该撇两头尖，中间肥，但重心要稳。

短斜撇

1. 逆锋向左上角起笔；2. 折锋向右下方顿笔；3.提笔转锋蓄势向左下方撇去；4.力量逐渐减小，力至笔端，注意中锋行笔。

度

我

源

徒

回锋撇

1. 左上方逆锋起笔；2.折锋向右下顿笔；3. 提笔向左下写弯，中间部分提笔敛锋，不宜过肥；4. 至末端处向左下挫笔后，提笔向上回锋，再挫笔蓄势，向左上出钩。

平　撇

1. 逆锋向左上角起笔；2. 折锋向右下方顿笔；3. 提笔转锋蓄势向左下方撇去；4.力量逐渐减小，力至笔端，注意中锋行笔。

藏

爱

岁

所

平捺

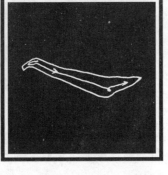

1. 自左上方逆锋起笔；2.折锋向右轻顿后，转锋向右下方行笔；3. 行笔过程中力量逐渐增大；4.至捺脚处顿笔后，提笔向右出锋。平捺要比侧捺的水平角度小，更加平稳。

斜捺

1. 自左上方逆锋起笔；2.折笔向右轻顿后，转锋向右下方行笔；3.行笔过程中力量逐渐增大；4.至捺脚处顿笔后，提笔向右出锋，捺画要一波三折。

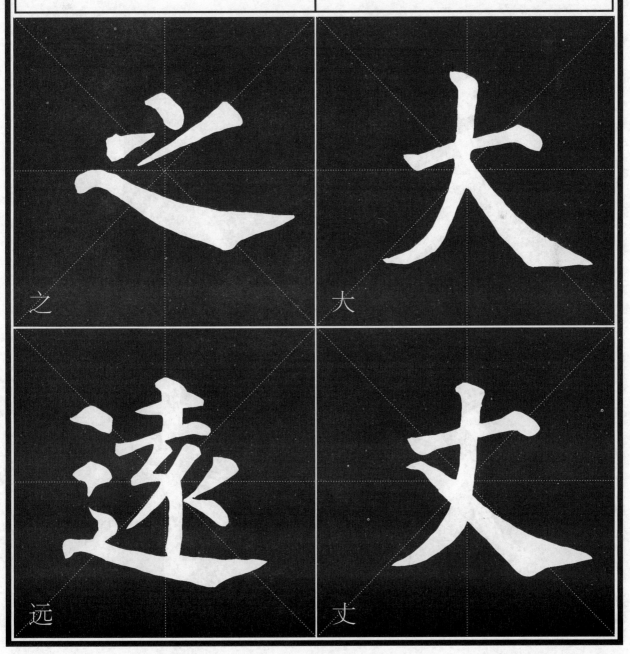

之

大

远

丈

横钩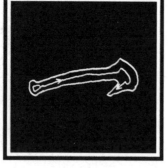

1. 逆锋向左上角起笔；2.折锋向右下方顿笔；3.提笔转锋蓄势向右铺毫力行；4.至钩处提笔上昂后向右下方顿笔；5.提笔转锋向左下方出钩，注意中锋行笔。

竖钩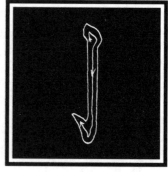

1. 逆锋向左上角起笔；2.折锋向右下方顿笔；3.提笔转锋蓄势向下铺毫力行；4.至钩处向右下轻顿；5.向上回锋蓄势后向左上方出钩。

安

月

次

来

竖平钩

1. 藏锋或顺锋起笔写竖；2. 出钩处顺势向下驻笔后再提笔转锋向左按笔，然后顺锋向左出钩。

竖弯钩

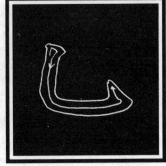

1. 逆锋向左上角起笔；2. 折锋向右下方顿笔；3. 提笔转锋蓄势向左下方铺毫缓行；4. 至斜的末端处一路圆转后向右铺毫行笔；5. 至出钩处提笔折锋向左，驻笔蓄势后向上提笔出锋。

可

也

行

兆

背抛钩

1.藏锋或顺锋起笔；2.蓄势后向右偏上行笔；3.折处提笔向右下方顿笔，再折笔向右下方蓄势后，向右下方写斜弯钩。

斜　钩

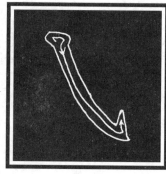

1.逆锋向左上角起笔；2.折锋向右顿笔；3.提笔折锋蓄势向右下带弯铺毫力行；4.行笔至出钩处稍稍顿笔后折锋向上，再驻笔蓄势向右上出钩。

九

成

飞

我

长　挑

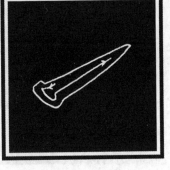

1.逆锋向左下方起笔；2.折锋向右下方顿笔；3.提笔转锋蓄势向右上方行笔；4.力量逐渐减小，力至笔端，注意中锋行笔。

短　挑

1.逆锋向左下方起笔；2.折锋向右下方顿笔；3.提笔转锋蓄势向右上方行笔；4.力量逐渐减小，力至笔端，注意中锋行笔。

妙

表

或

地

挑 点

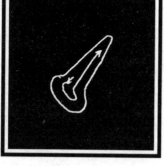

1. 逆锋向左下方起笔；2. 折锋向右下方顿笔；3. 提笔转锋蓄势向右上方行笔；4. 力量逐渐减小，力至笔端，注意中锋行笔。

横 折

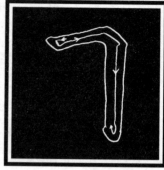

1. 逆锋向左上角起笔；2. 折锋向右下方顿笔；3. 提笔转锋蓄势向右铺毫力行；4. 至折处提笔上昂后向右下方顿笔；5. 提笔向下铺毫力行后回锋收笔。

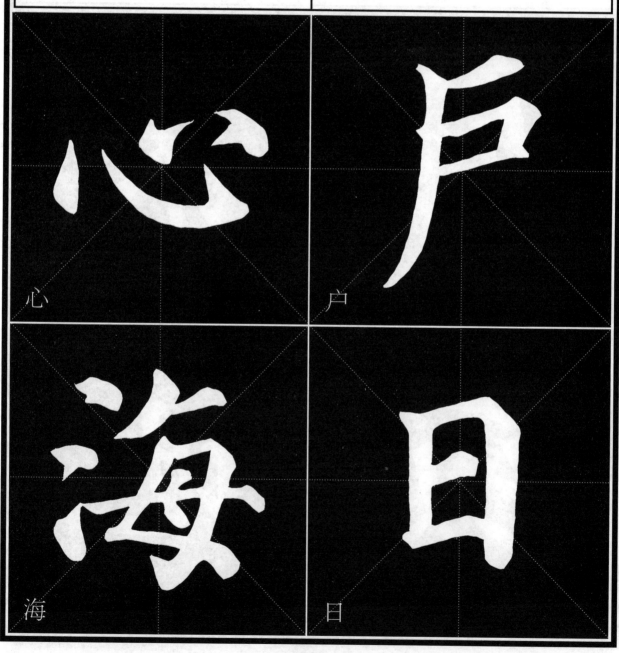

心

戸

海

日

撇　折

1.先藏锋写撇;2.撇的末端处提笔向右下方顿笔;3.折笔向右上方蓄势后向右上行笔,力量逐步减小,力至笔端。

单人旁

1.先写上斜撇,再写下竖;2.上斜撇应昂头,同时要写得凝重,其角度一般在45°左右;3.竖要写成垂露竖,切勿写成悬针竖,同时该竖的上端应驻于撇的中腹部,且要注入撇画的笔画里。

去

俗

经

信

双人旁

1.先写上撇，再写下撒,后写竖;2.上撇应写短且凝重,下撇稍舒展,同时该二撇的角度和方向应有所不同，下撇的上端应顶向上撇的中腹部;3.竖要写成垂露竖,书写时应捉笔敛锋,以体现其筋骨，同时竖的上端应注入下撇的笔画里。

三点水

1.先写上点，后写下点,再写提;2.上两点在形态和方向上应有所变化，既可写成方点也可写成圆点;3.提画应写得厚重,以托起其上部笔画;4.三笔应形断意连，其重心稳固。

行　流

徒　源

绞丝旁

1. 先写上撇折再写下撇折和点，后写下三点；2.上撇折的起笔应昂头立起，下撇折的起笔向右伸展，点不宜突破折画的上端之右；3.下三点形态不一，要写得稳重而有变化。

竖心旁

1.先写左点，后写竖，再写右点；2.左右两点左点低，右点高，同时二点应相互呼应，二点的位置应驻于竖的中上部分；3.竖应写成垂露竖，切勿写成悬针竖，同时竖不宜写得肥重。

绝

悟

续

恒

示字旁

1. 先写上点，再写横撇，后写竖和右点；2. 上点应昂头立起，当横长时撇短，反之亦然；3. 竖为垂露竖，其上端应顶向撇的中腹部；4. 捺应收缩为点，以避让其右部笔画。

言字旁

1. 先写上点，再写三横，后写口；2. 上点昂头立起，且偏向右；3. 三横的上横应稍长，覆盖下部，下两横长短参差，方向不一；4. 口不宜过大，但要写得轮廓分明，稳重而不失清秀。

祖　诸

福　谢

提土旁

1. 先写横，再写竖钩，后写提；2.当横画长时，提应缩短，反之亦然；3.竖钩应垂直，横画用笔为方笔，使其厚重；4.钩画应写得厚实，出钩不宜太长，以含蓄.稳健为佳。

金字旁

1.先写上撇和横，再写下两横和竖，后写两点和底横；2.上撇起笔为方笔，横可缩写为点；3.下三横的长短和方向及形态应有所不同；4. 竖要清秀而有骨力，且要顶向撇的起点；5.两点左右呼应，分布于竖的两边。

场

铜

增

钱

王部

王部的横画均取斜势，右齐左不齐，形状瘦长，下横往上挑，与下一笔画笔断意连。

木部

先写一个短横，再在横的偏右的地方写一个竖或者竖钩，撇应与上横相连，捺则改为一个点。

环

楼

碧

杨

禾部

　　先写上面一个平撇，再写一个短横，竖钩要对准撇的中间，下面的撇和点应尽量上提。

米部

　　先写上面左右两点，左点要稳，右点要飘，再写斜横，竖钩直长，下撇直而瘦劲，下点藏而不露。

程

精

积

粹

火部

先写左边的上挑点，再写右边的下挑点，两点应该笔断意连，再写中间的竖撇，最后写右下点，此点要略长靠上。

车部

车字旁的横画较多，应安排匀称，左右两边的短竖要写斜一些，中竖要写得正直。

炳

辅

烟

轮

弓 部

弓部应写成上半部分平正紧密，下半部分弯曲疏朗，用笔应以方笔为主，方圆结合。做到平正而不呆板，弯曲而不倾倒。

足 部

先写上面倾斜的"口"字，在口的中间起笔写竖。在竖的上部写短横。在竖的中部起笔写左竖，最后写斜的挑。

弥

跪

弘

躅

立刀旁

1. 先写短竖,再写竖钩;2. 短竖不宜过长,也不宜过短;3.竖钩的起笔既可以为方笔也可以为圆笔,但竖一定要垂直,其钩的出钩方向一般要对准字的重心。

力　部

1.先写横折斜钩,再写长斜撇;2.横折斜钩的起笔既可用方笔也可用圆笔,其横向右上斜,其钩要对准起笔的方向;3.斜撇起笔可方可圆,力要送至笔端,力字旁一般驻于字的右下部位,左右底部平齐。

利

动

刚

勃

斤字旁

1. 先写上平撇，再写左竖撇，后写横和竖；2. 上撇必须用平撇，竖撇可改写为竖钩撇以体现其筋骨；3. 竖可写为垂露竖也可写成悬针竖，但必须垂直。

反文旁

1. 先写斜撇，再写横，后写撇捺；2. 撇可写成斜撇也可写成弯头撇，但不宜过长；3. 横的起笔在斜撇的末端，撇画要轻写，但不能飘浮，捺要重写，以稳定全字的重心。

斯

散

所

敬

见部

　　1.先写左竖，再写横折，后写三横及撇和竖弯钩；2.左竖用垂露竖，要写得清秀而有骨力，横折的起笔为方笔，笔画厚实而稳重；3.三横长短.方向不一，间距相同；4.左撇不宜太开张，竖弯钩充分伸展，底部平稳。

隹部

　　1.先写撇和竖，再依次写其右部笔画；2.上撇不宜长，竖画不宜短，而且该竖要写成垂露竖，挺拔有力；3.其右部横画的间距要相等，竖要顶住其上部点画，并且不宜写长。

现

杂

观

雅

页 部

上横短，下挑长，上撇短，下撇长，左竖短，右竖长，中间两横靠左不挨右，下两笔支撑有力。

欠 部

先写一个直而短的撇，然后在撇的中间起笔写横钩，下撇为竖弧撇，起笔要对准上撇头，最后一点应写高一些。

颜

欢

额

欲

犬部

犬部在字的右边,故必须让左,尽量使其左边整齐,而右边则可开放些,注意撇要写成竖弧撇。

人字头

1. 先写撇画,再写捺画;2.撇画一般较瘦和轻,捺画一般较重且捺脚肥厚;3.撇和捺舒展开阔,撇的起点高,落点低,捺画的起点低,而捺脚高。

畎

金

兽

念

京字头

1. 上点要写得厚重，一般用方点，且该点一般要驻于字的中心垂直线上；2. 横画一般要写成长横，该横要覆盖整个字的下部分笔画，该横左低右高，但在视觉上是平稳的。

宝盖头

1. 先写上点，再写竖点，后写横钩；2. 上点一般驻于字的中心垂直线上，横钩要平，竖点有时垂直；3. 宝盖头除少数个别字外，一般应宽大，以覆盖其下部笔画。

方　空

京　宝

草 部

1.先写左竖,再写左提,后写撇和短横;2.竖和撇不宜过长,同时应遵循左收右放的原则;3.古人在书写草字头时,将横分做两段写,其目的在于体现笔画的节奏感,并取得布白上的艺术感觉。

爪 部

1.撇要写平,不宜过长;2.三点从左至右均匀分布,向右上取势,形态不一,方向不同。

落

受

万

爱

竹 部

左边的个字的三个笔画多排列紧密，右边的个字的笔画多开放舒展，两边应尽量分开些。

常字头

1. 先写短竖，再写其左右两点，后写左点和横钩；2.短竖应驻于字的中心垂直线上，左右两点围其左右相互呼应，此三笔不宜宽大；3.除少数个别字外,常字头的横钩应写宽阔，以覆盖其下部笔画。

符

掌

范

当

雨部

　　雨部要写得扁平，上横不宜太长，横钩不能太短，四个点要有变化，左边两点低，右边两点高。

四部

　　先写斜而短的左竖，再写斜的横折，中间两竖力求呼应，谦让，底横短而庄严。

云

置

雪

罗

羊字头

　　1.先写上两点，再写上两横，后写竖和底横；2.上两点左右呼应，不宜过大；3.三横的长短和方向及形态应有所变化，上横应稍写长；4.短竖不宜写长，同时应驻于字的中心垂直线上。

春字头

　　1.先写三横，再写撇捺；2.三横的长短.方向以及形态应有所变化，其间距应相等；3.撇应写舒展，捺应写厚重，春字头一般应比其下部宽阔，以覆盖其下部笔画。

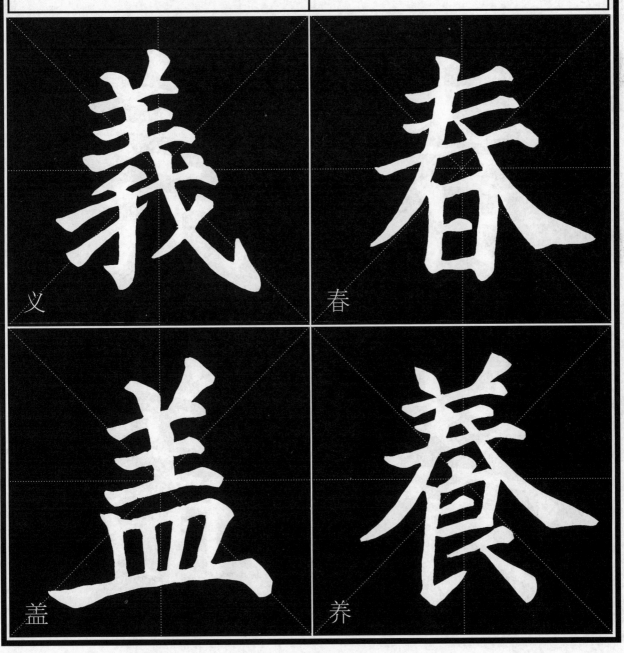

义

春

盖

养

双火部

　　先写左边的上挑点，再写右上边的下挑点。然后写撇，最后写右下点。两个火字要穿插避让。

山 部

　　先写中间的竖，略向左倾斜，收笔可露锋。再写左竖，横画多另起笔，并向右上倾斜，右边的短竖可以写得正直，也可以写得倾斜。

萤

崇

劳

严

广部

1. 先写上点，再写横，后写撇；2. 广字头为半包围结构的包围部分，因此其横画要写长，以覆盖其下部笔画；3. 上点要凌空取势，撇画要舒展有力，力至笔端。

尸部

1. 先写横折，再写横，后写撇；2. 尸字头为半包围结构的包围部分，因此横画要写长，以覆盖其下部笔画；3. 撇画要用竖撇，行笔要舒展，力至笔端。

度

居

应

层

八　部

先写左边的短撇，起笔较重，略停顿以畜势，行笔快捷，干净利落，右边变捺为点，行笔慢而凝重。

心字底

1.先写左点，再写卧钩，后写中点和右点；2.左右两点既可用方笔也可用圆笔，但笔锋不从中出，而中点的笔锋要从中出，以与右点相呼应；3.卧钩重心要平稳，出钩有力。

其　思　兴　念

儿字底

1.先写左撇,后写右部竖弯钩;2.左撇收缩,但要舒展有力;3.竖弯钩的竖呈斜势,底部平正,钩充分开张,出钩厚重。

寸部

寸部要把横写得斜而长,行笔稍慢,竖钩较短,可正直,也可倾斜,点可以写得开一些,并与横画连接。

先

寺

现

尊

日字底

1.先写左竖,后写横折,再写内横和下横;2.左竖用垂露竖;3.横画间距相等,内横右留空以通气;4.口框或上下等宽或上宽下窄,据字不同具体安排。

皿部

四个竖要有变化,上面要尽量留透气口,形状要像倒梯形,空隙要留得均匀,底横可以长也可短。

春

盛

书

盈

走之底

1.先写上点,后写横折撇折撇,再写底捺;2.上点昂头挺立,与横折撇折撇和底捺的交点在同一垂直线上;3.横折撇折撇收缩,底捺舒展而平稳。

走部

走部取斜势,上面的"土"字应左伸右缩,下面的竖与上竖对齐,横变为点,撇短捺长,下半部分也可借草书写法。

进

起

通

赵

同字框

1.先写左竖,再写横折钩;2.左竖要用垂露竖,但不宜写得过肥,横折钩的折处和钩要写得轮廓分明,厚实而健壮。

门部

左竖轻小,右竖钩厚重,中间两竖短,横画虽短但也要有变化,笔画顺序可以按两个"月"字来写。

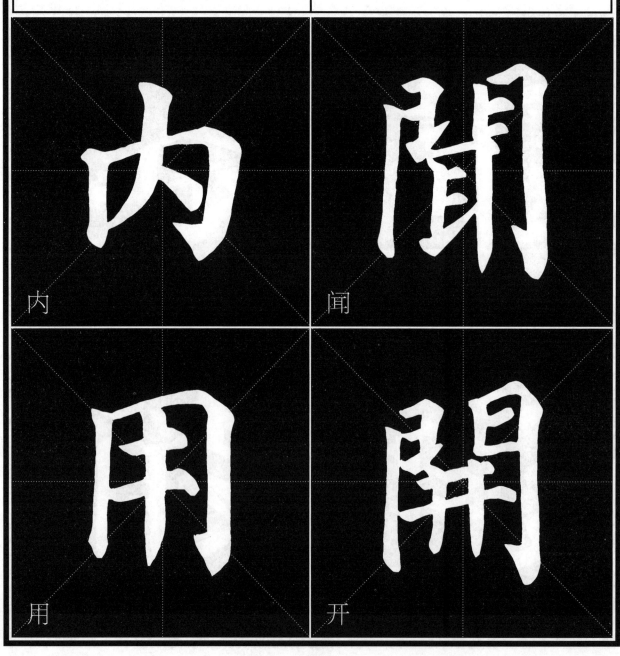

内

闻

用

开

国字框

1.先写左竖,再写横折钩,后写底横;2.该框左低右高,竖画挺拔有力,为相向笔画,四角平稳,内含空间大;3.左竖起笔为方笔,笔画沉稳,横折起笔也为方笔,行笔稳健,折为圆笔,钩画含蓄有力,底横平稳。

女 部

1.先写撇折点,后写斜撇,再写横;2.撇的起笔都为方笔,横画改写为提,有一定斜势;3.斜撇和捺点的交点与上撇的起点在同一垂直线上。

圆

妙

圉

要

巾部

1.先写左竖,再写横折钩,后写竖;2. 左竖要用垂露竖,但不宜写得过肥,横折钩的折处和钩要写得轮廓分明,厚实而健壮;3.竖画要挺拔有力,力至笔端,且要垂直。

贝部

形状窄长,下面的一横和两个点可以放开些,中间两横应写短些。左竖短右竖长,右点要藏在右竖之下。

师

财

常

质

石部

先写短而斜的横，在横的偏左处起笔写撇，下面的口字要写得斜一些，左边低右边高，右边与上横对齐。

马部

先写三横，后写竖，再写竖折弯钩，弯钩稍微开阔一些，便于安排下面四点，四点应有倾斜。

砌

驻

碧

惊

食部

撇短而有力，起笔要厚重，上点细而高扬，中间的点要正对上撇头，挑可以向左伸展，最后一点要对准挑尖。

耳部

耳部在字的左边时，其右竖要写成垂露竖，在字的下面时则写成悬针竖。

饰

联

养

耸

羽 部

　　羽部为左右并排，应有主次之分，多写成左小右大，左低右高，左收右放，四个点还要有变化。

将 部

　　先写右边的垂露竖，再写左边的短竖，后写两横，最后写撇，撇要与上面的短竖对齐。

翊

状

翼

藏

戈部

　　先写斜横，再写戈钩，戈钩起笔应尽量高些。后写撇，撇应藏在钩里面。最后写点，点多与横相连。

彡部

　　三个撇都要写得直而短，书写速度要快捷、果断，不要拖泥带水，三个撇的重心要对正，切不可向左偏移。

成

彤

藏

影

左右同宽

下列字的特点是字的左右部分的宽度大致相等，这类的字应注意左右笔画的相互穿插和呼应，同时合理调节左右的高度，使字的形态参差有韵。

左窄右宽

下列字的特点是字的左部窄而右部宽，这类的字要将其左部笔画写厚写实，而将其右部笔画写长写清秀，使字的重心平稳，搭配匀称。

于
场
程
握

左宽右窄

　　下列字的特点是字的左部宽而右部窄，这类的字要将左部作为字的主体，将其写宽写实，而将其右部写厚重；同时注意左右部分的呼应和搭配。

左高右低

　　下列字的特点是字的左部分高而右部分低，这类的字要使左部重而右部轻，使左让右，二者底部应平齐。

利

斯

影

动

左低右高

下列字的特点是字的左部分低而右部分高，这类的字应使其左部轻而右部重，左部重心上提，右部为主体，决定字的高度。

左大右小

下列字的特点是字的左部分宽大而右部分窄小，这类的字应让左部昂头向上伸，让右部俯视，并让左右部分的底脚平齐。

崛

敬

顶

欢

左小右大

下列字的特点是字的左部分窄小而右部分宽大，这类的字应让左部的重心上提，使其上部与右部分的上部大致平齐。

左中右同宽

下列字的特点是字的左中右部分的宽度大致相等，这类字的中间部分要写正直，左右部分的笔画要通过笔画的高低、形态来协调字的中间部分，达到匀称的目的。

钱

征

顿

谢

左右宽中窄

　　下列字的特点是字的左右部分宽而中间窄，这类的字要将中间部分写直，写短窄；将左右部分写宽，写长，并通过左右的高低安排达到字的协调。

中宽左右窄

　　下列字的特点是字的中间宽而左右窄，这类的字要以中间部分为字的主体，而将左右部分作为字的附件，起到搭配作用。

雅

衢

翊

衡

上大下小

　　下列字的特点是字的上部宽大,下部窄小,这类的字要将上部的笔画写清秀,下部的笔画要写厚拙。

上小下大

　　下列字的特点是字的下面宽大,上面窄小,这类的字外形一般要写成等腰梯形,笔画处理上要上重下轻。

卷

每

香

为

上下等高

　　下列字的特点是字的上下的高度大体相等，这类的字一般要通过笔画的长短、方向、角度来调节字的结构韵律，使其有收有放，不致因等高而使字呆板。

上中下等高

　　下列字的特点是字的上中下三部分的高度大体相等，这类的字一般上下宽而中间窄，这样处理的目的是使字的重心平稳，笔画有收有放。

岳　慧
空　万

中间宽

　　下列字的特点是字的中间部分宽阔，这类的字要将其上下部位写窄，笔画上轻下重，中间部位笔画要舒展，如鸟儿的翅膀，达到稳定字的重心的目的。

中间窄

　　下列字的特点是字的上下部位宽大，中间窄小，这类的字一般要将上部写平实，下部舒展有力，中间部位占据合理的空间，同时注意笔画的避让。

觉

意

无

掌

上左下右

　　下列字的特点是字的上部分偏左而下部分偏右，这类的字在安排其结构时，应让其上部笔画向左展，而使其右下笔画向右伸。

上右下左

　　下列字的特点是字的上部分偏右而下部分偏左，这类的字在安排其笔画时，应让其上部笔画向右舒展，而让其左下部笔画向右阔。

者

或

在

蕤

形体宽

　　下列字的特点是字的形体较宽，这类的字应将其纵向笔画缩短，而将其横向笔画写舒展，中间分隔的布白均匀。

形体窄

　　下列字的特点是字的形体较窄，这类的字一般要将纵向笔画写长，横向笔画写短，字的重心应上提，使字的下部布白较开阔。

弥

置

也

户

形 体 长

　　下列字的特点是字的形体为长方形，这类的字要将其四角写平稳，笔画的转折要有轮廓，其内部的重心一般要上提。

横 偏 形 正

　　下列字的特点是横画一般要抗肩，也就是横画要有一定的角度，不宜过平，那么就要求其他笔画要对字的重心进行修正，即正者偏之。

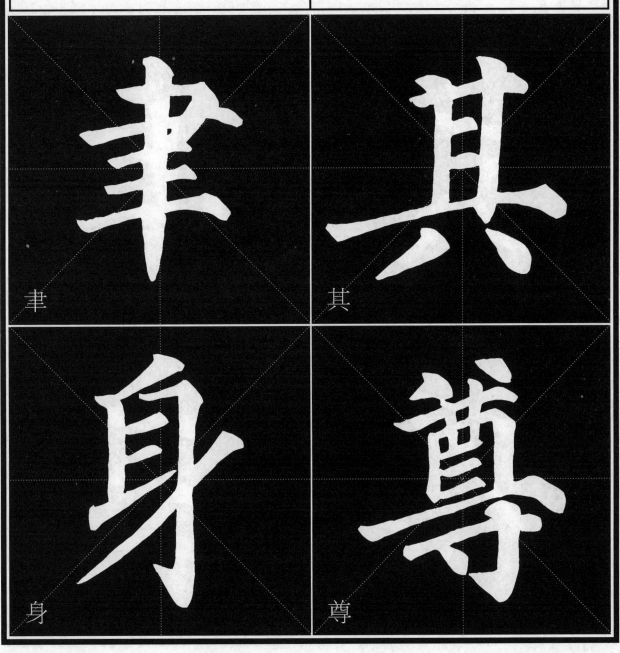

聿

其

身

尊

偏者正之

　　下列字的特点是结构偏斜，这类的字要通过笔画的形态和笔画的空间布局来修正字的重心，使之重心平稳，即所谓斜而不歪。

结字平正

　　下列字的横向笔画一般都要求平正，抗肩角度较小，同时横向笔画的长短要有收有放；纵向笔画垂直有力，字的布白要合理。

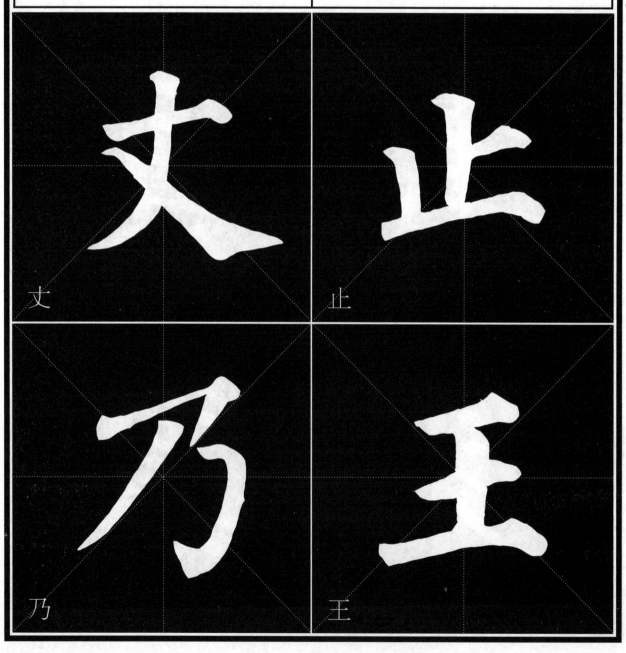

丈　　止

乃　　王

点竖对齐

　　下列字的特点是顶部都有点画，其下部都有垂直的竖笔。这类的字一般要求竖和点在同一垂直线上，若点居中则竖画也居中。

二横中断

　　下列字的特点是横画中间隔断，这类的字要求二横要相互对应，共同处在同一竖线上，形断而意连。

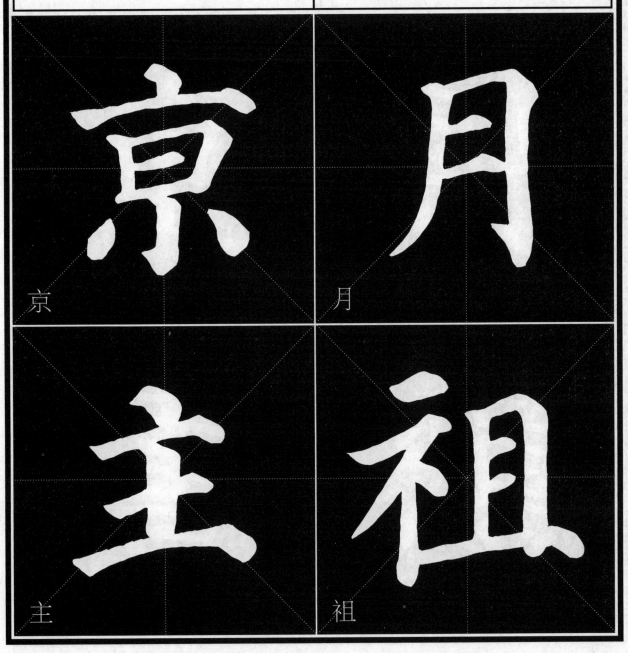

京

月

主

祖

竖画对应

下列字的特点是竖断，这类的字上下二竖虽然隔断，但应互相对应垂直，避免偏侧。

横画多的字

下列字的特点是横画多，这类的字要务求长短各异，一般来讲中横要写长些，其他的横要相对写短；同时横画的角度和形态也应不同。

崛

翼

兽

昼

竖画多的字

下列字的特点是竖画多,这类的字要求各个竖要有所变化,长短 方向 角度都不同,一般来讲字的中间竖要写长些,同时要垂直,其他竖要写短些。

天覆之字

下列字的特点是字的上面都有宝盖头覆盖,这类的字除极少数的字外,一般要将上面写宽阔,下部写窄长,使上部覆盖其下部。

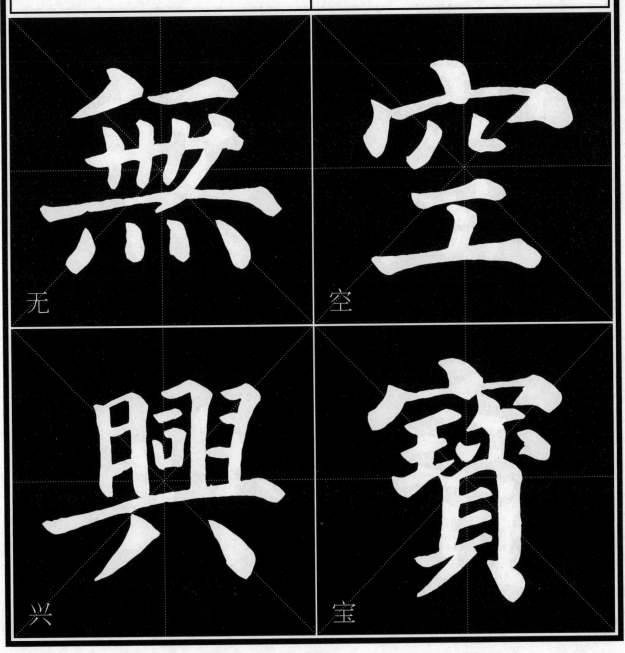

无

空

兴

宝

地载之字

下列字的特点是字的下面都有横向笔画托起其上部，这类的字上部要写轻些，下部分要写厚重些，使下部有足够的力量托起上部。

正 方 形

下列字的特点是字的形体呈正方形，这类的字一般要将其上两肩写平实，转折有轮廓，左右竖笔要垂直，达到四角平正，字形平稳。

罢　　　　井

盖　　　　化

菱形字

　　下列字的特点是字的形体呈菱形状，这类的字要将其上下部位撑实，左右部位写足，达到上下左右、四面八方平稳匀称。

扁形字

　　下列字的特点是字的形体呈扁形，这类的字一般要将其上部写窄，而将其下部写宽，即所谓上合下开。

手

匹

每

之

结构简单

　　下列字的特点是字的笔画少,间架结构简单,这类的字在书写笔画时应尽量写得厚实些,字的大小应适当,笔画要长而遒劲。

笔画少

　　下列字的特点是字的笔画少,结构简单,这类的字在书写时应尽量让笔画粗壮,用笔工整,间架要正,同时注意横短撇长,或横长竖短,反之亦然。

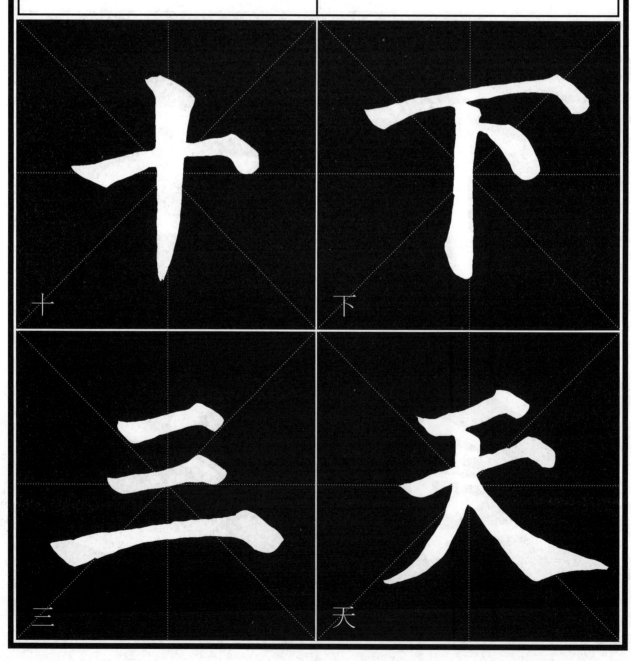

笔画繁多

下列字的特点是字的笔画多,结构紧密,这类的字在书写时尽量让笔画清秀而不肥厚,排列整齐有序,注意笔画的相互穿插。

笔画疏

下列字的特点是字的笔画较少,在构成字时使字的笔画布局较疏,这类的字在书写时应尽量让笔画丰满、厚实,运笔要符合规范。

惊　父

验　中

笔画密	重复
下列字的特点是字的笔画多,排列紧密,这类字的笔画书写要清秀,有长有短,布局均匀,同时笔画间要注意穿插和避让。	下列字的特点是字的某一组成部分或某一笔画在字中重复,这类的字在书写重复部分时一般应用笔清秀,大小适宜,分间布白合理。

变　　　　钱

洒　　　　飞

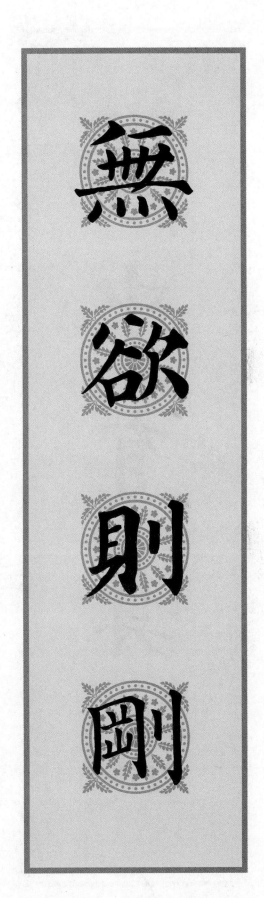

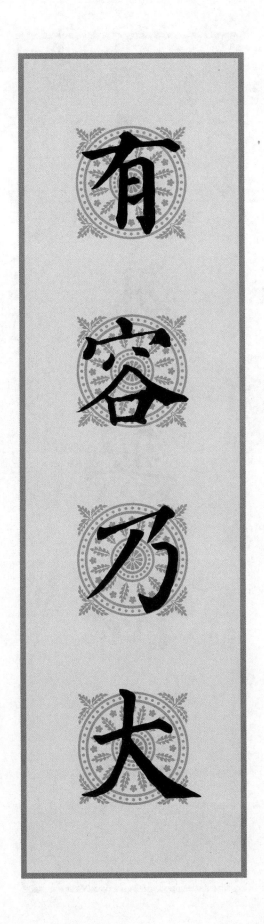

無欲則剛　有容乃大

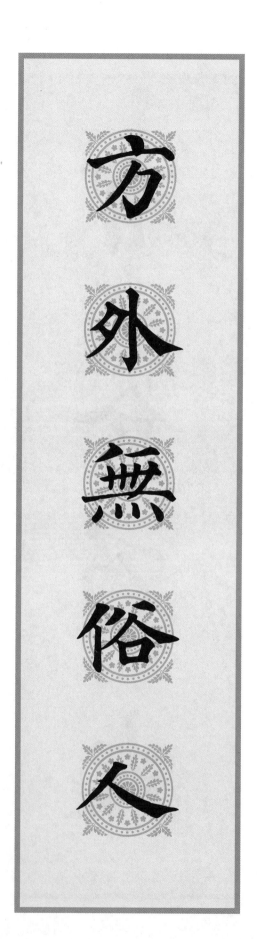

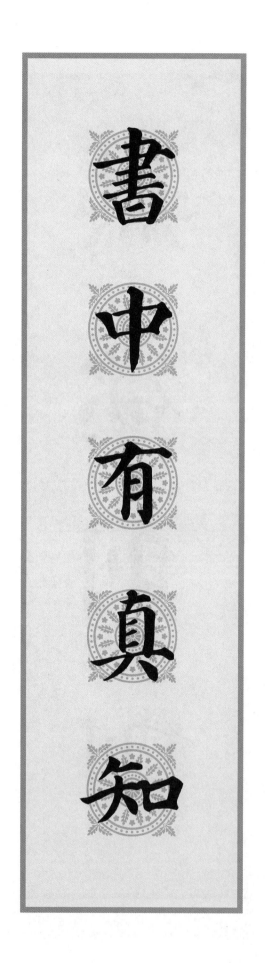

書中有真知

方外無俗人

大唐西京千福寺多寶

佛塔感應碑文

南陽岑勛撰

朝議

郎判尚書武部員外

郎琅邪顏真卿書

朝散大夫撿挍尚書

都官郎中東海徐浩

題額

粵妙法蓮華諸佛之祕

藏也多寶佛塔證經之